Μικρές Ιστορίες
σε Απλά Ελληνικά

Έναν Αύγουστο στις Σπέτσες

Κλεάνθης Αρβανιτάκης

Enan Avgousto stis Spetses

εκδόσεις δέλτος

Τίτλος: Έναν Αύγουστο στις Σπέτσες
Συγγραφέας: Κλεάνθης Αρβανιτάκης
© Copyright Ε. Αρβανιτάκη και Σία Ο.Ε.
ISBN 978-960-7914-11-8
Πρώτη έκδοση: Μάρτιος 1999
7η Ανατύπωση: Φεβρουάριος 2011

Επιμέλεια έκδοσης: Φρόσω Αρβανιτάκη
Σελιδοποίηση: Ελένη Σγόντζου
Σκίτσα: Μαρία Θειοπούλου
Εκτύπωση και βιβλιοδεσία: Φωτόλιο-Typicon Α.Ε.

Εκδόσεις Δέλτος, Πλαστήρα 69, 17121 Νέα Σμύρνη, Ελλάς
Deltos Publishing, 69 Plastira St., 17121 Nea Smyrni, Athens, GR
tel: +30210 9322393 fax: +30210 9337082
www.deltos.gr info@deltos.gr

Η οικογένεια Πάπας

Η ώρα είναι οχτώ το βράδυ. Ο ελληνοαμερικάνος **επι-χειρηματίας** Τζον Πάπας είναι στο γραφείο του σπι-τιού του και μιλάει στο τηλέφωνο με τον διευθυντή της τράπεζάς του. Είναι ένας ψηλός άντρας, πενήντα δύο χρονών, με έξυπνα καστανά μάτια και κοντά, γκρίζα μαλλιά. Η **βαλίτσα** του είναι ήδη έτοιμη από την προ-ηγούμενη μέρα. Κάθε φορά που ταξιδεύει —και ταξι-δεύει συχνά— την ετοιμάζει μόνος του. Έτσι είναι σίγου-ρος ότι όλα είναι σωστά, όπως λέει. Ο Τζον δούλεψε πολύ από μικρός σε διάφορες δουλειές. Σήμερα έχει μια μεγάλη εταιρεία που πουλάει **έπιπλα** σ' όλο τον κόσμο.

Πριν από είκοσι δύο χρόνια παντρεύτηκε τη Φράνσις Πίτερς, από μητέρα Ελληνίδα αυτή, που ήταν γραμμα-τέας στην εταιρεία. Η Φράνσις είναι σήμερα σαράντα πέντε χρονών. Δύο χρόνια μετά τον γάμο τους έκαναν μια κόρη και τρία χρόνια αργότερα έναν γιο. Ο Τζον έδωσε στην κόρη του το όνομα της μητέρας του, Ευαγ-γελία, και στον γιο του το όνομα του πατέρα του. Η Εύα, που τώρα είναι είκοσι χρονών, σπουδάζει αρχαιολογία. Είναι ένα πραγματικά όμορφο κορίτσι. Ο Κρις, που πήρε το όνομά του από τον παππού του τον Χριστό-φορο, είναι δεκαεφτά χρονών και εφέτος τελειώνει το σχολείο. Η οικογένεια Πάπας μένει σ' ένα μεγάλο σπίτι με κήπο στο Λονγκ Άιλαντ.

επιχειρηματίας αυτός που
έχει επιχειρήσεις
έπιπλα τραπέζια, καρέκλες,
πολυθρόνες κτλ.

βαλίτσα

Συνήθως το καλοκαίρι πάνε διακοπές στο σπίτι που έχουν στο Σούνιο, εξήντα χιλιόμετρα από την Αθήνα. Εφέτος όμως θα πάνε στις Σπέτσες, όπου πήγαν και πέρσι. Το νησί άρεσε σε όλη την οικογένεια και ιδιαίτερα στην Εύα γιατί είναι πράσινο, έχει **νυχτερινή** ζωή και είναι κοντά στην Αθήνα. Η γραμματέας του Τζον τους έκλεισε δωμάτια στο ξενοδοχείο 'Τα Νησιά'. Ο Κρις για πρώτη φορά φέτος δε θα πάει μαζί τους. Θα πάει με τους φίλους του στις λίμνες στον Καναδά. Ο επιχειρηματίας ήταν ήδη έτοιμος, όταν χτύπησε το τηλέφωνο.

«Ναι;» απάντησε.

«Κύριε Πάπας, εσείς;»

«Ναι, Γιώργο.» Ήταν ο πιλότος του τζετ της εταιρείας.

«Το αεροπλάνο είναι έτοιμο.»

«Ωραία. Θα είμαστε εκεί σε... μιάμιση ώρα το αργότερο.»

«Εντάξει, κύριε Πάπας.»

«Γεια σου, Γιώργο.»

Μόλις έκλεισε, πήρε τη Φράνσις στο υπνοδωμάτιό τους.

«Είναι ώρα να πηγαίνουμε. Είστε έτοιμες;»

«Ναι, Τζον, είμαστε έτοιμες.»

«Δηλαδή είναι και η Εύα έτοιμη; Δεν το πιστεύω!»

«Έλα, Τζον. Παιδί είναι ακόμα.»

«Όταν εγώ ήμουνα είκοσι χρονών...»

νυχτερινή   που γίνεται τη νύχτα

«Όλοι οι άνθρωποι δεν είναι ίδιοι.»

«Τέλος πάντων. Πες σε παρακαλώ στον οδηγό να φέρει το αυτοκίνητο μπροστά στο σπίτι. Εγώ θα πάρω τηλέφωνο τα παιδιά.»

«Έγινε.»

Μετά από δέκα λεπτά το αυτοκίνητο της οικογένειας, μια άσπρη Μερσεντές, ήταν έξω από την πόρτα. Πριν βγουν από το σπίτι, **χαιρέτησαν** τον Κρις. «Καλό ταξίδι και καλές διακοπές» είπε αυτός. «Κι εσύ και να προσέχεις» του είπαν αυτοί και τον φίλησαν. Μπροστά από τη Μερσεντές περίμενε ένα γκρίζο αυτοκίνητο με «τα παιδιά»: τους δύο **σωματοφύλακες** του επιχειρηματία. Ο οδηγός της οικογένειας πήρε τις βαλίτσες και τις έβαλε στο αυτοκίνητο.

«Έτοιμοι, κύριε Πάπας;» ρώτησε.

«Ναι, πάμε.»

Του άρεσε του Τζον να δουλεύει με Ελληνοαμερικανούς ή Έλληνες για να είναι πιο κοντά στην Ελλάδα. Την Ελλάδα την είχε πάντα στην καρδιά του.

Το αυτοκίνητο με τους σωματοφύλακες προχώρησε μπροστά και η Μερσεντές **ακολούθησε.** Ο Τζον **πρόσεξε** ότι η κόρη του ήταν μελαγχολική.

«Τι έχεις, Εύα;» τη ρώτησε.

«Τίποτα», του είπε αυτή.

Ο Τζον δεν την πίστεψε.

χαιρετώ (-άω) (αόριστος: χαιρέτησα) λέω «γεια» ή «αντίο»

σωματοφύλακας αυτός που φυλάει από κοντά έναν πλούσιο άνθρωπο

ακολουθώ (αόριστος: ακολούθησα) πάω από πίσω

προσέχω (αόριστος: πρόσεξα) βλέπω και καταλαβαίνω

«Εύα. Είμαι ο πατέρας σου, θέλω να ξέρω.»

«Σιγά» είπε η Εύα ειρωνικά.

«Τι σημαίνει πάλι αυτό;»

«Σημαίνει αυτό που καταλαβαίνεις. Εσύ πάντα σκέφτεσαι μόνο τα λεφτά σου και τον γιο σου. Ποτέ δεν ήσουν δίπλα μου όταν σε ήθελα.»

«Τα λεφτά που έκανα, τα έκανα για την οικογένειά μου» της είπε θυμωμένα. «Νομίζεις ότι είναι εύκολο να κάνεις λεφτά; Ξέρεις πόσο χρόνο και πόση δουλειά έβαλα; Για τον αδελφό σου, πάλι, δεν είναι καθόλου όπως τα λες.»

«Ξέρω εγώ τι λέω.»

«Πάλι αυτή η συζήτηση;» μπήκε στη μέση η Φράνσις. «Τόσα χρόνια τα ίδια και τα ίδια και δεν μπορεί να καταλάβει ο ένας τον άλλο.»

«Έχω κάνει πολλά γι' αυτή τη μικρή και δε μ' αρέσει να μου μιλάει έτσι.»

«Ποιος ακούει αυτά που λες» **μουρμούρισε** η Εύα αλλά ευτυχώς ο πατέρας της δεν την άκουσε.

Στο αεροπλάνο

Όταν έφτασαν στο αεροπλάνο, μαζί με την οικογένεια ανέβηκε κι ο ένας από τους δύο σωματοφύλακες, ο Παντελής: ένας άντρας γύρω στο 1 μέτρο και 95 ύψος

μουρμουρίζω (αόριστος: μουρμούρισα)
μιλάω πολύ σιγά

και βάρος 110 κιλά. Στην πόρτα περίμεναν οι δύο **αερο-συνοδοί.**

«Καλώς ορίσατε» τους είπαν.

Πήγαν στις θέσεις τους, κάθισαν κι έβαλαν τις ζώνες τους. Σε λίγο άκουσαν τη φωνή του πιλότου:

«Κυρία και κύριε Πάπας, δεσποινίς Πάπας, Παντελή, καλησπέρα σας. Είμαστε έτοιμοι για **απογείωση.** Είναι 3 Αυγούστου και η ώρα είναι 9.40. Στην Αθήνα θα φτά-σουμε στις 2.30 το μεσημέρι περίπου, ώρα Ελλάδας. Θα έχουμε αρκετά καλό καιρό κατά τη διάρκεια του ταξιδιού. Στην Αθήνα σήμερα ο καιρός είναι καλός και η θερμοκρασία θα είναι 35 βαθμοί Κελσίου.»

Σε δεκαπέντε λεπτά το τζετ ήταν πάνω από το Μανχάταν. Ο Τζον πήρε να διαβάσει το περιοδικό TIME. Η Εύα, πάντα μελαγχολική, έβγαλε από την τσάντα της ένα αστυνομικό μυθιστόρημα και η μητέρα της έβαλε τα ακουστικά της για ν' ακούσει μουσική.

Μετά από μισή ώρα, η αεροσυνοδός έφερε τους δίσκους με το βραδινό: ψάρι μαγιονέζα, κοτόπουλο κρασάτο με ρύζι, σαλάτα λάχανο με καρότο και παγωτό σοκολάτα. Οι δύο γυναίκες ζήτησαν νερό. Ο Τζον προτίμησε ένα ποτήρι κόκκινο κρασί κι ο Παντελής πήρε ένα ουζάκι. Όταν τελείωσαν το φαγητό τους, που ήταν εξαιρετικό, ο Τζον και η Φράνσις μίλησαν για τις διακοπές τους. Σιγά σιγά κοιμήθηκαν όλοι. Η Εύα, με το μυαλό γεμά-το σκέψεις, έκλεισε τα μάτια της τελευταία.

αεροσυνοδός η γυναίκα που φροντίζει αυτούς που ταξιδεύουν σ' ένα αεροπλάνο

απογείωση όταν το αερο-πλάνο σηκώνεται από το αεροδρόμιο

Ξενοδοχείο 'Τα Νησιά'

Το ταξίδι ήταν γενικά χωρίς προβλήματα αλλά κάπως βαρετό. Ένα καλό πρωινό, διάβασμα, μουσική, μια ταινία με τον Ρόμπερτ ντε Νίρο, λίγη **κουβέντα.**
Στις 2.20 το μεσημέρι ο πιλότος τούς **πληροφόρησε** ότι φτάνουν στο αεροδρόμιο της Αθήνας. Όταν βγήκαν από το αεροπλάνο, ο καιρός ήταν πραγματικά καταπληκτικός: λιακάδα, γαλανός ουρανός και ζέστη. Σε λίγη ώρα ήταν σ' ένα ταξί που τους πήγε στο λιμάνι της Ζέας, στον Πειραιά, για να πάρουν το **Δελφίνι.** Όταν έφτασαν στην Ντάπια, το λιμάνι των Σπετσών, η ώρα ήταν 6.10 το απόγευμα. Το **βαν** του ξενοδοχείου 'Τα Νησιά' πήρε τις βαλίτσες τους και οι τέσσερις περπάτησαν ως εκεί γιατί ήταν αρκετά κοντά.
«Καλώς ορίσατε, κύριε Πάπας. Είχατε καλό ταξίδι;» ρώτησε τον Τζον ο υπάλληλος στη ρεσεψιόν.
«Ναι, πολύ καλό. Ζέστη εδώ, ε;»
«Ναι, έχουμε ζεστό καιρό ευτυχώς.»
«Ευτυχώς ή δυστυχώς;» είπε γελώντας ο Τζον.
«Μα γι' αυτό έρχονται οι τουρίστες στα ελληνικά νησιά. Για τον ζεστό καιρό και τη δροσερή θάλασσα. Και ευτυχώς δε φυσάει αυτές τις μέρες.»
«Χρειάζεστε κάτι άλλο, γιατί είμαστε λίγο κουρασμένοι» είπε η Φράνσις.

κουβέντα συζήτηση
πληροφορώ (αόριστος: πληροφόρησα) δίνω πληροφορίες, λέω

Δελφίνι γρήγορο πλοίο που πηγαίνει στα νησιά
βαν κλειστό αυτοκίνητο για βαλίτσες

«Μόνο τα διαβατήριά σας, αν θέλετε.»

Έδωσαν όλοι τα διαβατήριά τους και ο υπάλληλος συνέχισε: «Εσείς με τον κύριο Πάπας είστε στη σουίτα Αλλόνησος. Ο κύριος ε... Μακρίδης είναι στο στούντιο Σκιάθος, ακριβώς δίπλα στη σουίτα σας, όπως ζητήσατε, και η δεσποινίς Πάπας στο στούντιο Σκόπελος, στο ισόγειο. Οι **κατοικίες** του πρώτου ορόφου έχουν θέα και στη θάλασσα και στην πισίνα. Το στούντιο του ισογείου βλέπει στην πισίνα. Ελπίζουμε να σας αρέσουν. Ο νεαρός από 'δώ θα σας οδηγήσει. **Καλή διαμονή.**»

«Ευχαριστούμε» είπε ευγενικά η Φράνσις.

Και η σουίτα και τα στούντιο ήταν πραγματικά πολύ ωραία. Η σουίτα είχε ένα μεγάλο **καθιστικό**, μια κρεβατοκάμαρα και ένα μπάνιο. Στο καθιστικό υπήρχε ένας καναπές, κουζινοτραπεζαρία και τζάκι. Η κρεβατοκάμαρα είχε δύο κρεβάτια και μια μεγάλη ντουλάπα. Τα στούντιο ήταν πιο μικρά: καθιστικό με δύο κρεβάτια και κουζινοτραπεζαρία, και μπάνιο. Αρχιτεκτονική και έπιπλα σε **παραδοσιακό** στυλ. Το ξενοδοχείο ήταν αλήθεια πανέμορφο.

Ο Τζον έκανε αμέσως ένα ντους, έβαλε το **μαγιό** του και κατέβηκε στην πισίνα. Το νερό ήταν όπως το ήθελε: ούτε ζεστό ούτε κρύο. Κολύμπησε δέκα λεπτά και μετά κάθισε σ' ένα τραπέζι δίπλα στο μπαρ. **Παράγγειλε** ένα ντράι μαρτίνι και κουβέντιασε λίγο με τον σερβιτόρο. Ύστερα

κατοικία εκεί που μένουμε
«καλή διαμονή» «να περάσετέ καλά»
καθιστικό σαλόνι
παραδοσιακό που είναι όπως τον παλιό καιρό

μαγιό αυτό που φοράμε για να κολυμπήσουμε
παραγγέλνω (αόριστος: παράγγειλα) λέω στον σερβιτόρο τι θέλω

πήρε από το **κινητό** του τη Φράνσις.

«Όλα καλά;» ρώτησε τη γυναίκα του.

«Ναι» του απάντησε εκείνη.

«Η Εύα;»

«Είναι στο δωμάτιό της.»

«Έχει τίποτα;»

«Δεν ξέρω. Δε μου λέει, ξέρεις. Τη βλέπω λίγο μελαγχολική, πάντως.»

«Ίσως είναι κουρασμένη. Πεινάς;»

«Εγώ αρκετά. Θα ρωτήσω και την Εύα.»

«Καλά. Εγώ μόλις έκανα μια **βουτιά** στην πισίνα. Ήταν θαυμάσια. Θα σας περιμένω στο μπαρ δίπλα.»

Η Φράνσις κατέβηκε μετά από είκοσι λεπτά. Δέκα λεπτά αργότερα ήρθε και η Εύα.

«Δεν ξέρω για σάς αλλά εγώ θα ήθελα να φάω κάτι. **Πεινάω σα λύκος**» είπε η Φράνσις.

«Κι εγώ, αν και είναι νωρίς ακόμα» είπε ο Τζον.

«Εγώ δεν πεινάω καθόλου. Θα πάω μια βόλτα» είπε η Εύα.

«Πού θα πας;» ρώτησε η μητέρα της. «Θα αργήσεις πολύ;»

«Όχι, θα γυρίσω νωρίς γιατί το βράδυ θα βγω.»

«Θα βγεις το βράδυ;»

«Ναι, θα βγω. Γιατί, υπάρχει πρόβλημα;»

«Όχι, αλλά...»

«Όλο 'αλλά' και 'αλλά' είσαι, βρε μαμά. Δεν κουράζε-

κινητό   μικρό τηλέφωνο που έχουμε μαζί μας
πεινάω σα(ν) λύκος   πεινάω πάρα πολύ

βουτιά

έβγαλε το πορτοφόλι της να πληρώσει αλλά αυτός δεν την άφησε.

«Στην Ελλάδα **κερνάω** εγώ. Εσύ κερνάς στην Αμερική.»

«Θα ξανάρθεις ποτέ, αλήθεια;»

«Πού ξέρεις;» είπε ο Άλκης και της χαμογέλασε.

Μίλησαν αρκετά και κατά τις οχτώμιση σηκώθηκαν. Έκαναν μια βόλτα στα δρομάκια της Ντάπιας, έφαγαν κι ένα παγωτό και μετά περπάτησαν μαζί ώς το ξενοδοχείο. Έδωσαν ραντεβού για τις δώδεκα, στη Φιγκαρό, στο Παλιό Λιμάνι. Ο Άλκης γύρισε να πάρει τη μηχανή του και η Εύα προχώρησε μέσα. Οι γονείς της δεν ήταν κάτω. Έβγαλε τα **πέδιλά** της και **ξάπλωσε** στο κρεβάτι. Άνοιξε το περιοδικό της αλλά, κουρασμένη όπως ήταν, κοιμήθηκε αμέσως.

Στο Παλιό Λιμάνι

Όταν ξύπνησε, η ώρα ήταν έντεκα. Έκανε ένα ντους, χτενίστηκε και έβαλε ένα απλό σκούρο πράσινο φόρεμα που της άρεσε και μαύρα παπούτσια. Χτύπησε την πόρτα του Τζον και της Φράνσις αλλά δεν ήταν μέσα. Ούτε στην πισίνα ήταν. Βγαίνοντας τους είδε στο εστιατόριο του ξενοδοχείου, πάνω στον δρόμο, με τον Παντελή, τον σωματοφύλακα.

«Γεια σας» τους είπε. «Πώς πάει;»

κερνάω   πληρώνω εγώ
πέδιλα   ανοιχτά παπούτσια
για το καλοκαίρι

ξαπλώνω
(αόριστος: ξάπλωσα)

«Καλά, παιδί μου. Ξεκουραζόμαστε λιγάκι» απάντησε η μητέρα της.

«Πώς πήγε η βόλτα, δεσποινίς Εύα;» ρώτησε ο σωματοφύλακας.

«Μια χαρά. Κάθισα, ήπια έναν καφέ και διάβασα το περιοδικό μου. Ήταν ωραία. Μ' αρέσει να είμαι μόνη μου, όταν μπορώ.»

«Αν θέλετε τίποτα, μου το λέτε. Το ξέρω αρκετά καλά αυτό το νησί. Έχω και φίλους εδώ.»

«Σ' ευχαριστώ, Παντελή. Αλλά το θυμάμαι, ξέρεις, κι εγώ από πέρσι.»

«**Θα κάτσεις** λίγο μαζί μας;» ρώτησε ο Τζον.

«Θα πάω κάπου να φάω κάτι και μετά θα πάω σε κανένα μπαράκι. Θα αργήσω να γυρίσω.»

«Πού θα πας μόνη σου;»

«Ίσως δε θα είμαι μόνη μου. Γεια. Τα λέμε αύριο» είπε κι έφυγε.

Στην ταβέρνα που ήξερε στον Άγιο Μάμα, την πλατεία με το περίπτερο, έφαγε μια χωριάτικη σαλάτα μόνο. Μετά πήρε ένα **αμάξι** για το Παλιό Λιμάνι.

Το Παλιό Λιμάνι. Ίσως το πιο **γραφικό** κομμάτι του νησιού. Πανέμορφα, παραδοσιακά σπίτια, μικρά δρομάκια και πολλά κλαμπ, εστιατόρια και μπαρ. Χιλιάδες νέοι έρχονται το βράδυ να φάνε, να πιουν και να χορέ-

---

θα κάτσω   θα καθίσω
γραφικό   ωραίο

 **αμάξι**

ψουν. Εδώ **αράζουν** τα πιο μικρά *σκάφη*, ελληνικά και ξένα.

Όταν έφτασε στο κλαμπ Φιγκαρό, είχε ήδη αρκετό κόσμο. Ο Άλκης ήταν εκεί μ' ένα ποτήρι στο χέρι. Την είδε και σήκωσε το ποτήρι του.

«Γεια σου, μωρό μου» της είπε μόλις ήρθε κοντά του.

«Γεια. Ωραία είναι εδώ. Τι πίνεις;»

«Χυμό πορτοκάλι με πολύ λίγη βότκα. Εσύ τι θα πιεις;»

«Μια μπίρα.»

Μίλησαν αρκετή ώρα και μετά πήγαν να χορέψουν.

«Εύα! Δεν είναι δυνατόν!»

Η Εύα γύρισε να δει ποιος ήταν.

«Ηρώ! Λοιπόν, ο κόσμος είναι πολύ μικρός!»

Την Ηρώ τη γνώρισε στο Σούνιο πριν από δύο χρόνια σ' ένα πάρτι και μετά έκαναν συχνά παρέα. Ακολούθησαν κάποια μηνύματα και κάποια e-mail.

Η Εύα σύστησε τον ένα στον άλλο.

«Άλκης Κούρος, Ηρώ Πανούση.»

«Γεια σου, Άλκη.»

«Γεια σου, Ηρώ.»

Η Ηρώ ήταν εκεί με τον φίλο της, τον Μίλτο, και με άλλα πέντε ή έξι αγόρια και κορίτσια. Σε λίγο έγιναν όλοι μία παρέα. Οι δύο κοπέλες είπαν για λίγο τα δικά τους αλλά με δυσκολία, γιατί η μουσική ήταν πολύ

αράζω δένω, ρίχνω άγκυρα
σκάφος μικρό πλοίο

δυνατή. Όταν μάλιστα αργότερα άρχισε κι η ελληνική μουσική, τα πράγματα έγιναν χειρότερα. Χόρεψαν όμως όλοι μαζί με πολύ κέφι. Κατά τις τρεις, η Εύα είπε ότι ήταν πολύ κουρασμένη και ότι έπρεπε να φύγει.

«Θα σκεφτώ αυτά που μου είπες» της είπε η Ηρώ.

Η Εύα την ευχαρίστησε και βγήκε με τον Άλκη από το κλαμπ.

Ανέβηκαν στη **μηχανή** του κι έφτασαν στην Ντάπια σ' ένα λεπτό. Μετά την πήγε μέχρι το ξενοδοχείο από κάτι πίσω δρομάκια. Δεν πρόσεξαν όμως καθόλου τον τύπο με το **κράνος** πάνω σε μια μαύρη μηχανή που ήταν συνέχεια πίσω τους.

«Όνειρα γλυκά» της είπε χαμογελώντας.

Τον κοίταξε στα μάτια. «Μ' αγαπάς;» τον ρώτησε. «Μόνο εσένα έχω και θέλω να ξέρω.»

«Σ' αγαπώ και το ξέρεις» της είπε σοβαρός αυτή τη φορά ο Άλκης. Τη φίλησε κι έφυγε. Η μαύρη μηχανή τον ακολούθησε.

Μόλις μπήκε στο δωμάτιό της, πέταξε τα παπούτσια της, έβγαλε το φόρεμά της και ξάπλωσε. Από το παρά-θυρο το ασημένιο φεγγάρι τής έκανε παρέα για αρκε-τή ώρα.

μηχανή   μοτοσυκλέτα

κράνος

Στην Αγία Παρασκευή

Την ξύπνησε το τηλέφωνο. Κοίταξε το ρολόι της: ήταν έντεκα και μισή.

«Ναι;»

«Εγώ είμαι.» Ήταν ο Άλκης. «Μήπως σε ξύπνησα;»

«Ναι, αλλά είσαι το πιο γλυκό ξυπνητήρι που υπάρχει.»

«Πάμε για μπάνιο;»

«Πού;»

«Στην Αγία Παρασκευή. Ξέρεις, εκείνη την ωραία παραλία... Μπορούμε να πάμε με τη μηχανή.»

«Εντάξει. Σε... τρία τέταρτα θα είμαι έτοιμη.»

«Σύμφωνοι. Θα σε περιμένω στο πάρκινγκ πάνω από την Ντάπια στις δωδεκάμισι.»

Η Εύα έκανε ένα ντους, ετοιμάστηκε και βγήκε για πρωινό. Ο ήλιος ήταν αρκετά δυνατός. Δύο αγόρια κι ένα κορίτσι ήταν μέσα στην πισίνα. Τρεις ή τέσσερις γυναίκες έκαναν ηλιοθεραπεία. Βρήκε ένα τραπέζι με ομπρέλα και κάθισε. Παράγγειλε κρουασάν και γαλλικό καφέ. Από απέναντι κάποιος φώναξε το όνομά της. Ήταν η μητέρα της. Η Εύα κούνησε το χέρι της. Στο ίδιο τραπέζι ήταν ο πατέρας της κι ένας **άγνωστος** άντρας. Όταν τελείωσε το πρωινό της, πήγε στο τραπέζι τους.

«Καλημέρα, χρυσό μου» είπε η Φράνσις.

άγνωστος   κάποιος που δεν ξέρουμε

«Καλημέρα, Εύα» είπε και ο πατέρας της. «Να σου συστή-
σω τον κύριο Πετρέα. Τον γνωρίσαμε χθες το βράδυ.»
Ο νέος άντρας σηκώθηκε. Ήταν περίπου τριάντα χρο-
νών, νόστιμος, γύρω στο ένα και εβδομήντα, με λίγα
μαλλιά.

«Γιώργος Πετρέας. Χαίρω πολύ.»

«Χαίρω πολύ» είπε και του έδωσε το χέρι της. Το χέρι
του ήταν μικρό και κρύο.

«Ο κύριος Πετρέας είναι για λίγες μέρες εδώ με το σκά-
φος του. Είναι διευθυντής σε μια **ναυτιλιακή εταιρεία**
στον Πειραιά. Θα κάτσεις λίγο μαζί μας;»

«Λυπάμαι αλλά θα πάω με παρέα για μπάνιο.»

«Με ποια παρέα; Πού θα πάτε;» ήθελε να μάθει η μητέ-
ρα της.

«Με κάτι παιδιά που γνώρισα πέρσι, μαμά. Δεν ξέρω
πού θα πάμε.»

«Θα χαρώ πολύ να πάμε όλοι μαζί μια βόλτα με το σκά-
φος μου» πρότεινε ο Πετρέας.

«Ευχαριστώ, κάποια άλλη φορά ίσως. Γεια σας» είπε η
Εύα κι έφυγε.

Στη μία παρά είκοσι πέντε ήταν στο πάρκινγκ. Ο Άλκης
περίμενε πάνω στη μηχανή. Ανέβηκε και ξεκίνησαν.

Η Αγία Παρασκευή είναι μια ωραία παραλία στην ανα-
τολική πλευρά του νησιού με γύρω γύρω **πεύκα.**

ναυτιλιακή εταιρεία   εταιρεία με πλοία
πεύκο   δέντρο που συναντάμε πολύ συχνά στην Ελλάδα

Ευτυχώς δεν είχε πολύ κόσμο. Κολύμπησαν αρκετή ώρα και μετά ξάπλωσαν στον ήλιο. Ο ήλιος όμως ήταν πολύ δυνατός. Έτσι, κάθισαν κάτω από μια ομπρέλα, διάβασαν τα βιβλία τους, και μισή ώρα αργότερα πήγαν να φάνε στη μικρή ταβέρνα που βρίσκεται πάνω στην παραλία. Κατά τις τέσσερις αποφάσισαν να γυρίσουν. Στο πάρκινγκ της Ντάπιας η Εύα κατέβηκε.

«Τι ώρα θα σε δω απόψε;» τη ρώτησε ο Άλκης.

«Κατά τις δέκα και μισή μπροστά στην Μπρατσέρα, στο Παλιό Λιμάνι. Πάμε κάπου ν' ακούσουμε ελληνική μουσική;»

«Γιατί όχι;» συμφώνησε ο Άλκης.

Το κινητό της Εύας χτύπησε στις εξίμισι. Ήταν η Ηρώ. Συμφώνησαν να πάνε στην Ντάπια για καφέ. Η Εύα χτύπησε την πόρτα της σουίτας των γονιών της αλλά δεν απάντησε κανένας. Άφησε ένα σημείωμα για τη μητέρα της στη ρεσεψιόν και βγήκε από το ξενοδοχείο. Η μαύρη μηχανή, που περίμενε στη γωνία, αποφάσισε να την ακολουθήσει.

Γιώργος Πετρέας

Οι δυο κοπέλες έφτασαν σχεδόν μαζί στο ζαχαροπλα-
στείο του Ρούσου.

«Πες μου πρώτα τα δικά σου» είπε η Εύα.

Η Ηρώ μίλησε στην Εύα για τη δουλειά της στο βιβλι-
οπωλείο 'Πολιτεία' στην Αθήνα και για τον Μίλτο. Ο
Μίλτος ήταν ηθοποιός, πολύ εντάξει παιδί. Ύστερα ήρθε
η σειρά της Εύας.

«Δε μου μίλησες ποτέ για τον Άλκη. Όμορφο παιδί.»

Η Εύα της είπε αρκετά για τον φίλο της. Μετά της μίλη-
σε και για τον πατέρα της. Η Ηρώ κατάλαβε ότι η φίλη
της είχε σοβαρό πρόβλημα. Αποφάσισε να τη βοηθή-
σει. Μίλησαν για τη θεία της Ηρώς στη Νέα Υόρκη και
για κάποιες άλλες ιδέες που είχε η Εύα στο μυαλό της.
Κατά τις οχτώ πλήρωσαν κι έφυγαν μαζί.

Την ίδια ώρα, ο Γιώργος Πετρέας ήταν καθισμένος στο
μικρό γραφείο που είχε στο σκάφος του. Πάνω στο γρα-
φείο ήταν ένα λαπ τοπ, ένα ποτήρι ουΐσκι και μερικές
κάρτες με το όνομά του: Γιώργος Πετρέας, 'La Casa',
Ιταλικά έπιπλα, Διευθυντής Μάρκετινγκ. Γιώργος
Πετρέας, Ναυτιλιακή Εταιρεία 'Ωκεανός', Γενικός Διευ-
θυντής. Γιώργος Πετρέας... Η **οθόνη** του κομπιούτερ
ήταν σχεδόν γεμάτη με πληροφορίες για την οικογένεια

οθόνη   το κομμάτι του κομπιούτερ όπου
βλέπουμε τι γράφουμε

Πάπας. Πρόσθεσε ακόμα μερικές, σημείωσε κάποια πράγματα σ' ένα χαρτί, και το **κλείδωσε** στο συρτάρι του γραφείου. Μετά **έσβησε** το λαπ τοπ, σηκώθηκε με το ποτήρι στο χέρι και βγήκε έξω. Δεξιά και αριστερά από το νοικιασμένο σκάφος του, ήταν τα γιοτ - πολύ μεγαλύτερα από το δικό του - δύο γνωστών ελλήνων **εφοπλιστών**.

Μάλιστα. Ο κύριος Τζον Πάπας. Πρόεδρος μεγάλης εται-
ρείας επίπλων. Αυτός θα μου λύσει τα οικονομικά μου
προβλήματα. Και η... δεσποινίς Εύα είναι το κλειδί. Νομίζω
ότι μπορώ να προχωρήσω στο επόμενο βήμα. Ο νέος άντρας τέλειωσε το ουίσκι που ήταν στο ποτήρι. Ύστερα πήρε ένα νούμερο στο κινητό του.

Ένα τηλεφώνημα

5 Αυγούστου λίγο μετά τις δέκα το βράδυ. Η Φράνσις ήταν έτοιμη να κατέβει στο μπαρ όπου την περίμενε ο άντρας της για να βγουν, όταν χτύπησε το κινητό της.
«Εμπρός;» απάντησε.
«Η κυρία Πάπας;» ρώτησε μια ανδρική φωνή.
«Η ίδια. Ποιος είναι, παρακαλώ;»
«Δεν έχει σημασία. Άκου προσεκτικά αυτό που έχω να σου πω. Έχουμε την κόρη σας. Αν θέλετε να την ξανα-δείτε, πρέπει να μας δώσετε δέκα εκατομμύρια ευρώ.»

κλειδώνω (αόριστος: κλεί-δωσα) κλείνω με κλειδί
σβήνω (αόριστος: έσβησα) κλείνω, σταματάω κάτι να δουλεύει

εφοπλιστής αυτός που έχει ένα ή περισσότερα πλοία δικά του

Για λίγα δευτερόλεπτα η Φράνσις δεν μπόρεσε να πει τίποτα.

«Πού είναι η Εύα; Μην της κάνετε κακό, σας παρακαλώ» κατάφερε τελικά να πει.

«Είναι μια χαρά. Πες το στον άντρα σου. Θα ξαναπάρουμε αργότερα. Και πρόσεξε. Αν πάρεις την αστυνομία, δε θα το ξαναδείς το κορίτσι σου» είπε η φωνή και έκλεισε.

Η Φράνσις έγινε **κάτασπρη.** Ήταν αδύνατο να πιστέψει αυτά που άκουσε. Βγήκε από το δωμάτιο και πήγε τρέχοντας στο στούντιο της Εύας. Χτύπησε, χτύπησε αλλά δεν απάντησε κανένας. Ύστερα πήγε στο μπαρ. Ο Τζον την περίμενε μ' ένα ποτήρι στο χέρι.

«Τι συμβαίνει; Έχεις τίποτε;» τη ρώτησε μόλις κάθισε δίπλα του.

Του είπε, όσο πιο ήρεμα μπορούσε, για το τηλεφώνημα.

«Δεν είναι δυνατόν. Κάποιος μας **κάνει πλάκα**. Η Εύα ήταν εδώ μέχρι το μεσημέρι και μετά πήγε για μπάνιο. Πήγες στο δωμάτιό της;» ρώτησε.

«Δεν απαντάει κανείς.»

«Καλά. Πάμε στη ρεσεψιόν να πάρουμε το κλειδί.»
Άνοιξαν την πόρτα, έψαξαν παντού αλλά η Εύα δεν ήταν εκεί. Κοίταξαν για κανένα σημείωμα αλλά δεν υπήρχε

κάτασπρη   πολύ άσπρη
κάνω πλάκα   κάνω ένα αστείο

τίποτε. Ξαναπήγαν στη ρεσεψιόν και ο Τζον ρώτησε μήπως ήξεραν πού είναι η κόρη τους.

«Η κόρη σας άφησε το κλειδί της και βγήκε» απάντησε η υπάλληλος. «Α, ναι. Υπάρχει κι ένα σημείωμα για σάς, κυρία Πάπας. Ορίστε.»

Η Φράνσις το διάβασε:

Μαμά, πάω για έναν καφέ με μια φίλη.

Δεν ξέρω τι ώρα θα γυρίσω.

Εύα

«Με μια φίλη... με κάτι φίλους. Ποτέ δεν ξέρω αρκετά για τις παρέες της.»

«Πρέπει να σκεφτούμε λίγο» είπε ο Τζον. «Αυτή η ιστορία ή είναι φάρσα ή είναι **απαγωγή.** Είσαι σίγουρη ότι δεν ξέρουμε κανέναν από τους φίλους ή τις φίλες που λέει ότι έχει εδώ στις Σπέτσες;»

«Δε νομίζω. Πέρσι ήρθε μια φορά στο ξενοδοχείο μ' έναν νέο.»

«Ποιος ήταν;»

«Δε θυμάμαι το όνομά του.»

«Τέλος πάντων. Πες μου, πότε είπαν ότι θα ξαναπάρουν;»

«Σε μία ώρα, νομίζω.»

«Και σου είπαν ότι ζητάνε δέκα εκατομμύρια;»

«Ναι. Δέκα εκατομμύρια ευρώ.»

Πήρε το χέρι της γυναίκας του στο δικό του.

απαγωγή   όταν πιάνω κάποιον και ζητάω λεφτά για να τον αφήσω ελεύθερο

«Δεν μπορούμε να κάνουμε τίποτε άλλο αυτή τη στιγμή. Θα περιμένουμε. Μετά θα δούμε. Για ένα πράγμα θέλω να είσαι σίγουρη. Θα κάνω ό,τι χρειάζεται για να τη βρούμε.»

Παντελής Μακρίδης

«Δεν πάει άλλο», είπε ο Παντελής στον φίλο του τον Αντώνη και **άδειασε** ένα ποτήρι κρασί. «Το μόνο που σκέφτεται κάθε μέρα αυτός ο άνθρωπος είναι πώς να κάνει πιο πολλά λεφτά. Κι όλοι οι άλλοι γύρω του πρέπει να δουλεύουν για να τον κάνουν πιο πλούσιο. Εφτά χρόνια δουλεύω γι' αυτόν. Πρέπει να έχω τα μάτια μου και τ' αυτιά μου ανοιχτά μέρα νύχτα. Και τι κατάφερα; Δικό μου σπίτι δεν έχω, δεν παντρεύτηκα... Κάτι πρέπει να κάνω. Δεν πάει άλλο, σου λέω.»
«Και τι μπορείς να κάνεις, ρε Μακρίδη; Μπορείς να βρεις άλλη δουλειά;» τον ρώτησε ο φίλος του.
«Έχω κάποιο **σχέδιο**. Θα σου πω άλλη ώρα.»
Εκείνη τη στιγμή χτύπησε το κινητό του. Ο Τζον Πάπας τον ήθελε αμέσως στο ξενοδοχείο.
«Τι σου είπα; Με θέλει αμέσως, όπως πάντα. Άντε γεια σου, Αντώνη. Τα λέμε. Την άλλη φορά κερνάω εγώ.»

Σε εφτά λεπτά ακριβώς, ο «γορίλας» ήταν στο ξενοδοχείο. Ο Τζον και η Φράνσις τον περίμεναν στο μπαρ.

αδειάζω το πίνω όλο
σχέδιο πλάνο, ιδέα

«Κάθισε, Παντελή. Ίσως έχουμε πρόβλημα. Λέω 'ίσως'
γιατί μπορεί να είναι φάρσα.»

«Εγώ φοβάμαι. Φοβάμαι πολύ.»

«Σε παρακαλώ, Φράνσις. Μην κάνεις έτσι.»

«Δεν καταλαβαίνω» είπε ο Παντελής. «Τι έγινε;»
Του εξήγησαν τι έγινε ακριβώς και τι είπε ο άντρας στο
τηλέφωνο.

«Εγώ λέω να περιμένουμε το τηλεφώνημα πρώτα» είπε
ο Τζον. «Ίσως καταλάβουμε αν αυτοί οι άνθρωποι είναι
από εδώ ή από την Αμερική.»

«Μόνο όχι αστυνομία. Δεν θέλω να ρισκάρουμε καθό-
λου. Σε παρακαλώ, Τζον» είπε η Φράνσις.

«Εντάξει, Φράνσις.»

«Κι εγώ συμφωνώ» είπε ο Παντελής. «Ακούμε τι έχουν
να μας πούνε και μετά αποφασίζουμε. Στο μεταξύ θα
τηλεφωνήσω σε κάτι φίλους μου Σπετσιώτες. Είμαι
σίγουρος ότι κάτι θα μάθουμε. Το νησί είναι μικρό.»

«Εγώ, πάντως, θα πάρω την τράπεζά μου στη Νέα Υόρ-
κη για να είμαστε έτοιμοι. Η ώρα είναι δέκα και είκο-
σι πέντε. Επομένως στη Νέα Υόρκη είναι τώρα... τρεις
και είκοσι πέντε. **Προλαβαίνω**» είπε ο Τζον και πήρε
το κινητό στα χέρια του.

Το ίδιο έκανε κι ο Παντελής. Στον αριθμό που πήρε δεν
απάντησε κανένας.

προλαβαίνω (αόριστος: πρόλαβα) έχω καιρό ακόμα

«Θα πάω για λίγη ώρα έξω, κύριε Πάπας. Σε είκοσι λεπτά το πολύ θα είμαι πίσω» είπε κι **έτρεξε** προς την έξοδο.

«Περίμενε!» του φώναξε ο Τζον αλλά εκείνος ήταν ήδη μακριά.

Δεύτερο τηλεφώνημα

Ο Άλκης δεν ήξερε τι να σκεφτεί. Η ώρα ήταν έντεκα και τέταρτο. *Η Εύα ποτέ δεν αργεί. Αλλά τι μπορεί να έγινε;* Βγήκε έξω και πήρε το νούμερο του κινητού της από ένα καρτοτηλέφωνο εκεί κοντά. Ήταν κλειστό. Ξαναπήρε μήπως έκανε λάθος. Το ίδιο. **Έψαξε** σ' όλα τα μαγαζιά στο Παλιό Λιμάνι. Δεν ήταν πουθενά. Πήρε και στο ξενοδοχείο αλλά του είπαν ότι το δωμάτιό της δεν απαντάει... Περπάτησε κι άλλο. Κατά τη μία, ανήσυχος και κουρασμένος, ανέβηκε στη μηχανή του και ξεκίνησε για το σπίτι του.

Η Φράνσις και ο Τζον ήταν στο μπαλκόνι της σουίτας τους και περίμεναν, όταν χτύπησε το κινητό της Φράνσις. Το έδωσε αμέσως στον άντρα της που ήταν δίπλα της.

«Ναι» είπε ο Τζον.

«Ο κύριος Πάπας;» ρώτησε μια ανδρική φωνή.

τρέχω (αόριστος: έτρεξα) πάω πολύ γρήγορα
ψάχνω (αόριστος: έψαξα) κοιτάζω να βρω

«Ναι, εγώ είμαι.»

«Σου είπε η γυναίκα σου;»

«Μου είπε αλλά θέλω να τ' ακούσω κι εγώ.»

«Όχι 'θέλω' σε μάς. Κατάλαβες; Λοιπόν, άκου προσεχτικά γιατί δε θα τα ξαναπώ. Αν θέλεις να δεις ξανά την κόρη σου, θα μας δώσεις δέκα εκατομμύρια ευρώ.»

«Η κόρη μου είν' εκεί;»

«Ναι εδώ είναι» απάντησε η φωνή.

«Θέλω να της μιλήσω.»

«Σου είπα, τα 'θέλω' στους υπαλλήλους σου και στη γυναίκα σου. Όχι σε μάς. Περίμενε...»

«Πατέρα;» ήταν η Εύα.

«Παιδί μου. Είσαι καλά; Σου έκαναν τίποτα αυτοί;» ρώτησε ο Τζον.

«Όχι. Τίποτα. Είμαι καλά.»

«Μη φοβάσαι καθόλου. Θέλω να ξέρεις ότι θα κάνω ό,τι χρειάζεται για να σ' αφήσουν. Για μένα, εσύ είσαι ό,τι πιο **πολύτιμο** υπάρχει.»

«Μπαμπά...» αλλά η Εύα δεν πρόλαβε να τελειώσει.

«Αρκετά» είπε πάλι η φωνή. «Λοιπόν, θέλουμε τα λεφτά σε δυο ώρες.»

«Αδύνατον», είπε ο Τζον. «Δεν έχω τόσα χρήματα στην Ελλάδα. Πήρα την τράπεζά μου και μου είπαν ότι θα τα έχω αύριο το πρωί ώς τις έντεκα. Μπορώ να τα πάρω από την Εθνική Τράπεζα εδώ στις Σπέτσες.»

πολύτιμο   κάτι που είναι πολύ ακριβό

«Καλά. Θα σε ξαναπάρουμε αύριο στη μία για να σου **δώσουμε οδηγίες.** Και ούτε λέξη στην αστυνομία γιατί δε θα ξαναδείτε το παιδί σας» είπε η φωνή κι έκλεισε.

«Πώς είναι; Τι σου είπε;» ρώτησε η Φράνσις.

«Είναι μια χαρά. Δε θα της κάνουν κακό, είμαι σίγουρος. Αυτοί μόνο τα λεφτά θέλουν. Θα τους τα δώσουμε, Φράνσις. Θα τους δώσουμε όσα ζητάνε. Χωρίς δεύτερη σκέψη.»

Δέκα λεπτά αργότερα, έφτασε στο ξενοδοχείο ο σωματοφύλακας.

«Έχω νέα» είπε.

«Τι νέα;» τον ρώτησε ο Τζον.

«Η Εύα έχει έναν φίλο εδώ και βγαίνουν μαζί. Το βράδυ σε κλαμπ, το πρωί στην παραλία... Δεν ξέρω πολλά γι' αυτόν αλλά ξέρω πού μένει και ότι τον λένε Άλκη.

«Μα ποιος είναι; Γιατί δε μας είπε τίποτε;» ήθελε να μάθει η Φράνσις.

«Σας είπα, δεν ξέρω πολλά. Έχω έναν φίλο εδώ που έχει μηχανή. Του ζήτησα να παρακολουθεί τη δεσποινίδα Εύα. Βέβαια, δεν είναι πάντα εύκολο, γιατί κάποιες ώρες απαγορεύεται να κυκλοφορούν στον παραλιακό δρόμο από Ντάπια μέχρι Παλιό Λιμάνι. Αυτός μου είπε γι' αυτόν τον Άλκη.»

«Πάμε αμέσως στο σπίτι του. Σίγουρα κάτι θα ξέρει. Αν, βέβαια, δεν είναι αυτός και η παρέα του που... Εσύ Φράνσις θα μας περιμένεις εδώ, σε παρακαλώ.»

δίνω οδηγίες λέω τι πρέπει να κάνει κανείς

Στο σπίτι του Άλκη

Το σπίτι του Άλκη ήταν τριακόσια μέτρα περίπου πάνω από την Ντάπια. Το **κουδούνι** της πόρτας χτύπησε στη μία και δέκα. *Ποιος μπορεί να είναι; Ίσως η Εύα* σκέφτηκε ο Άλκης κι έτρεξε προς την πόρτα.

Μπροστά του ήταν δύο άγνωστοι άντρες.

«Ο Άλκης, έτσι;» είπε ο Παντελής και προχώρησε στο μικρό λίβινγκ ρουμ. Ο Τζον τον ακολούθησε κι έκλεισε την πόρτα.

«Μα ποιοι είστε; Πώς μπαίνετε έτσι στο σπίτι μου;» ρώτησε **ανήσυχος** ο Άλκης.

«Θέλουμε κάποιες απαντήσεις» απάντησε ο Παντελής.

«Από πότε γνωρίζεις την Εύα;»

«Την Εύα; Ξέρετε πού είναι;»

«Εσύ πρέπει να ξέρεις καλύτερα από μάς. Ξέρουμε ότι τη βλέπεις εδώ στις Σπέτσες. Και ξέρουμε ότι προχτές το μεσημέρι πήγατε μαζί για μπάνιο. Ποιος πήρε τηλέφωνο τη μητέρα της και μετά τον πατέρα της;»

«Κάποιο λάθος κάνεις, άνθρωπέ μου. Κι εσύ κι ο φίλος σου. Εγώ δεν πήρα κανέναν στο τηλέφωνο. Δεν ξέρω ούτε τον πατέρα της ούτε τη μητέρα της. Την Εύα την ξέρω από τη Νέα Υόρκη, από το Πανεπιστήμιο. Ναι, βγήκαμε μαζί εδώ στις Σπέτσες. Αλλά εσάς τι σας ενδιαφέρουν όλα αυτά;»

ανήσυχος   που φοβάται για κάτι κακό

κουδούνι

«Πού είναι το παιδί μου;» του φώναξε ο Τζον. «Θα σου δώσω τα λεφτά που θέλεις αλλά πες μου πού έχεις την Εύα.»

«Είστε ο πατέρας της;»

«Μην της κάνετε κακό, σας παρακαλώ. Θα έχω τα λεφτά που ζητήσατε αύριο το πρωί.»

«Μα για ποια λεφτά μιλάτε; Σας ζήτησαν λεφτά για την Εύα; Ποιος μπορεί να έκανε κάτι τέτοιο;» ρώτησε πραγματικά ανήσυχος τώρα ο Άλκης.

«Έλα, λέγε γρήγορα» είπε ο Παντελής και προχώρησε προς την κρεβατοκάμαρα. Έριξε μια γρήγορη ματιά και μετά άνοιξε την πόρτα του μπάνιου.

«Δεν είναι κανένας εδώ, κύριε Πάπας» πρόσθεσε.

«Μα αλήθεια πιστεύετε ότι εγώ μπορώ να κάνω κακό στην Εύα;» ρώτησε ο Άλκης και κοίταξε τον Τζον στα μάτια. Ο επιχειρηματίας είχε δει πολλά στη ζωή του. *Τα μάτια αυτού του νέου δεν μπορεί να είναι τα μάτια κακού ανθρώπου.*

«Παντελή, φτάνει. Δεν μπορεί να είναι αυτός. Ούτε ένας απ' αυτούς.»

«Εμένα δε μου φαίνεται εντάξει αυτός ο τύπος. Σας το λέω.»

«Καλά, καλά» είπε ο Τζον και κάθισε στον καναπέ. «Είναι ο σωματοφύλακάς μου και έχει το δικό του στυλ» εξήγησε στον Άλκη.

Κάθισε κι ο Άλκης. Μίλησαν για λίγο. Ο Άλκης του είπε για το πανεπιστήμιο και για την Εύα και... ξαφνικά θυμήθηκε την Ηρώ, τη φίλη της στο κλαμπ. Θυμήθηκε και το επώνυμό της: Πανούση. Αυτή κάτι μπορεί να ξέρει.

«Μπορώ να μάθω εύκολα πού μένει. Αν λες αλήθεια» είπε ο σωματοφύλακας κι έβγαλε το κινητό από την τσέπη του. Πήρε ένα νούμερο κι άφησε ένα **μήνυμα** στον τηλεφωνητή.

Όταν έφυγαν και οι τρεις από το σπίτι του Άλκη, η ώρα ήταν μία και μισή. Πήραν ένα ταξί και πήγαν στο Παλιό Λιμάνι. Έψαξαν στη Φιγκαρό, στην Μπρατσέρα, έψαξαν παντού αλλά δεν τη βρήκαν. Κάποια στιγμή χτύπησε το κινητό του σωματοφύλακα. Άκουσε τι του είπε ο άλλος στο τηλέφωνο κι έγραψε κάτι σ' ένα χαρτί.

«Έχω τη διεύθυνση της κοπέλας» είπε μόλις έκλεισε.

«Πάμε» είπε ο Τζον.

μήνυμα   αυτά που λέμε στο τηλέφωνο όταν αυτός που παίρνουμε δεν είναι εκεί

Ηρώ Πανούση

Το σπίτι της Ηρώς ήταν στον παραλιακό δρόμο, ανάμεσα στην Ντάπια και το Παλιό Λιμάνι. Ήταν ένα από αυτά τα πανέμορφα παραδοσιακά σπετσιώτικα κάτασπρα σπίτια με τα μπλε παράθυρα και τις πολλές σκάλες. Ανέβηκαν και ο Άλκης χτύπησε το κουδούνι. Καμιά απάντηση. Ξαναχτύπησε δυο φορές. Σε λίγο μια γυναικεία φωνή ρώτησε από μέσα 'ποιος είναι'.

«Ο Άλκης ο Κούρος είμαι. Ο φίλος της Εύας. Ανοίξτε, σας παρακαλώ. Είναι ανάγκη.»

Μια κοπέλα άνοιξε την πόρτα.

«Καλησπέρα, Ηρώ. Δεν είμαι μόνος μου. Μαζί μου είναι ο πατέρας της Εύας και... ένας φίλος του. Ξέρω ότι είναι αργά αλλά υπάρχει πρόβλημα και θέλουμε τη βοήθειά σου. Μπορούμε να περάσουμε;»

«Ναι... ναι. Ορίστε» απάντησε η κοπέλα. «Πάμε να καθίσουμε στο σαλόνι.»

Ο Άλκης πρόσεξε ότι η φίλη της Εύας ήταν λίγο **ταραγμένη.** Αλλά ίσως ήταν η ιδέα του. Σύστησε τον Τζον και τον Παντελή και μετά κάθισαν στον καναπέ και στις δύο πολυθρόνες του σαλονιού. Ο Τζον Πάπας της είπε αμέσως για το τηλεφώνημα και τη ρώτησε μήπως ήξερε ή άκουσε κάτι. Η Ηρώ τους είπε ότι πήγανε για καφέ με την Εύα και ότι μετά η Εύα πήγε να περπατήσει λίγο.

ταραγμένη ανήσυχη, νευρική

«Μήπως προσέξατε κάτι **ύποπτο**;» ρώτησε ο Τζον.

«Όχι, δε νομίζω. Αλλά πρέπει να σας πω κάτι, κύριε Πάπας. Κι αυτό, γιατί η κόρη σας είναι εξαιρετικό κορίτσι και την αγαπώ πολύ. Την είδα πολύ μελαγχολική. Από αυτά που είπαμε, κατάλαβα ότι πιστεύει πως δεν ενδιαφέρεστε καθόλου γι' αυτή. Είτε υπάρχω είτε δεν υπάρχω, γι' αυτόν είναι το ίδιο', ακριβώς έτσι μου είπε για σάς. Ξέρω ότι είστε πολύ απασχολημένος με τις δουλειές σας αλλά κι εγώ έχω γονείς και...»

«Δεν είναι αλήθεια!» φώναξε ο Τζον. «Το ξέρω ότι έτσι νομίζει και λυπάμαι πολύ γι' αυτό. Καταλαβαίνω ότι δεν της έδωσα τον χρόνο που έπρεπε, δεν έπαιξα αρκετά μαζί της, δεν της έδειξα την αγάπη μου. Όμως για μένα η Εύα είναι το παιδί μου κι αυτό τα λέει όλα. Απόψε, όταν μου τηλεφώνησαν αυτοί οι άνθρωποι, όταν άκουσα τη φωνή της στο τηλέφωνο, κατάλαβα ακόμα περισσότερο πόσο την αγαπώ.»

Μίλησαν για λίγη ώρα ακόμα και μετά οι τρεις άντρες σηκώθηκαν.

«Θα ρωτήσω φίλους και γνωστούς» είπε η Ηρώ. «Ίσως κάποιος είδε ή άκουσε κάτι. Πάντως, κάτι μου λέει μέσα μου ότι όλα θα τελειώσουν καλά.»

Όταν έφυγαν όλοι, η Ηρώ πήγε αργά προς την κρεβατοκάμαρα και άνοιξε την πόρτα.

ύποπτο   κάτι που μπορεί να είναι κακό

«Μπορείς να βγεις τώρα» είπε και γύρισε στο σαλόνι. Από την κρεβατοκάμαρα βγήκε μια όμορφη κοπέλα με **δάκρυα** στα μάτια.

«Θέλεις κάτι να πιεις; Εγώ θα πιω ένα τζιν τόνικ. Το χρειάζομαι» είπε η Ηρώ και πήγε προς το μπαράκι στη γωνία του σαλονιού. «Άκουσες πώς μίλησε ο πατέρας σου για σένα πριν από λίγο και τι σου είπε στο τηλέφωνο, όταν ο Μίλτος τον πήρε να του πει για τα λεφτά. Νομίζω ότι είναι αρκετά.»

«Ναι. Άκουσα. Τελικά, αυτό που σκέφτηκα να κάνουμε, με βοήθησε να καταλάβω κάποια πράγματα.»

«Και γνώρισε και τον Άλκη» είπε η Ηρώ και πρόσθεσε γελώντας: «Πάντως, ήταν καταπληκτικός ο Μίλτος στον ρόλο του, ε;»

«**Φοβερός**. Το ίδιο κι εσύ πριν από λίγο. Λοιπόν, τι κάνουμε τώρα;»

«Ακολουθούμε το σενάριο που συμφωνήσαμε. Μένεις λίγο ακόμα εδώ, μετά γυρίζεις στο ξενοδοχείο. Τους λες ότι οι άνθρωποι που σε έπιασαν άλλαξαν γνώμη. Το γιατί δεν το ξέρεις», είπε αργά η Ηρώ που το πρόσωπό της σιγά σιγά ξαναβρήκε το χρώμα του. «Μάλλον έφυγαν βιαστικά από το νησί. Δεν ξέρεις ονόματα, δεν ξέρεις πού ήσουν —σου είχαν τα μάτια κλειστά—, σε άφησαν κάπου κοντά στον ΟΤΕ, πίσω από το Ποσειδώνιο. Και, βεβαίως, δε λέμε σε κανένα τίποτα. Ποτέ.»

φοβερός καταπληκτικός, πολύ καλός

δάκρυ

«Ούτε στον Άλκη;»

«Ίσως αργότερα.»

«Σ' ευχαριστώ πάρα πολύ για τη βοήθειά σου. Είσαι πραγματική φίλη.»

Ήταν γύρω στις τρεις όταν η Εύα ετοιμάστηκε να φύγει. Η Ηρώ πήγε στο μικρό μπαλκόνι που ήταν απέναντι από τη θάλασσα και κοίταξε προσεχτικά κάτω. Ο δρόμος ευτυχώς ήταν άδειος.

«Πάρε με αύριο να μου πεις τι έγινε» της είπε και τη φίλησε. Έκλεισε την πόρτα και πήγε αμέσως στο κρεβάτι της γιατί ήταν πολύ κουρασμένη. *Η ζωή είναι ένα μεγάλο θέατρο κι εμείς όλοι παίζουμε τους ρόλους που πρέπει να παίξουμε* μουρμούρισε και έσβησε το φως. *Εγώ το σκέφτηκα αυτό ή κάπου το άκουσα;* Ο ύπνος την πήρε πριν βρει την απάντηση.

Όταν η Εύα έφτασε στο ξενοδοχείο, ο Τζον, η Φράνσις, ο Άλκης και ο Παντελής ήταν καθισμένοι σ' ένα τραπέζι στη μεγάλη βεράντα. Το τι έγινε, **δε λέγεται**. Δάκρυα, αγκαλιές, φιλιά... Μετά, ερωτήσεις: τι έγινε, πώς έγινε, πότε έγινε. Αυτή όμως είχε έτοιμες τις απαντήσεις της. Κανείς δεν κατάλαβε τίποτα.

Και αύριο ραντεβού με τον Άλκη, στο ξενοδοχείο πια.

δε λέγεται   δεν υπάρχουν λέξεις γι' αυτό

Πλούσιοι υπάρχουν πολλοί

Το ίδιο βράδυ, αργά, ο Γιώργος Πετρέας ήταν πάλι καθισμένος μπροστά στο λαπ τοπ του, όταν χτύπησε το κινητό του. Ήταν ο άνθρωπός του από το ξενοδοχείο. Άκουσε τι του είπε, τον ευχαρίστησε και έκλεισε. *Κρίμα, μουρμούρισε. Με πρόλαβαν άλλοι. Αυτοί ήταν πιο γρήγοροι από μένα. Και **είχα** μεγάλη **ανάγκη** τα πέντε εκατομμύρια. Αλλά... αυτά έχει η ζωή. Θα ψάξω για κάτι άλλο. Ευτυχώς πλούσιοι υπάρχουν πολλοί.*

Έσβησε το κομπιούτερ κι έβαλε λίγο ουίσκι στο ποτήρι του. Μετά διάλεξε ένα CD με την Ένατη Συμφωνία του Μπετόβεν, το έβαλε στο στερεοφωνικό του, πήγε στο molto vivace, και πάτησε το κουμπί.

έχω ανάγκη   χρειάζομαι

Η οικογένεια Πάπας
σελ. 5

Α. Σωστό (Σ) ή λάθος (Λ);

1. Ο Τζον Πάπας έχει μια μεγάλη εταιρεία που πουλάει σπίτια.
2. Η Φράνσις είναι ελληνοαμερικάνα.
3. Η οικογένεια Πάπας πάει πρώτη φορά στις Σπέτσες.
4. Ο Κρις είναι πιο μεγάλος από την Εύα.
5. Η Εύα έχει προβλήματα με τον πατέρα της.

Β. Διαλέξτε το σωστό.

1. Η Φράνσις Πάπας είναι ___ .
   α. 54 χρονών   β. 45 χρονών   γ. 35 χρονών
2. Η Εύα σπουδάζει ___ .
   α. ανθρωπολογία   β. ψυχολογία   γ. αρχαιολογία
3. Στην Αμερική η οικογένεια Πάπας μένει σε ένα ___ .
   α. σπίτι   β. διαμέρισμα   γ. ξενοδοχείο
4. Η οικογένεια Πάπας ___ .
   α. έχει μία Μερσεντές   β. δεν έχει αυτοκίνητο
   γ. έχει ένα μικρό γιαπωνέζικο αυτοκίνητο
5. Η Εύα πιστεύει ότι ο Τζον σκέφτεται ___ .
   α. μόνο τα λεφτά   β. μόνο τον γιο του
   γ. μόνο τον γιο του και τα λεφτά

Στο αεροπλάνο

Α. Σωστό (Σ) ή λάθος (Λ);

1. Το αεροπλάνο είχε μία αεροσυνοδό μόνο.
2. Θα φτάσουν στις 14:30 περίπου.
3. Ο Τζον και η Φράνσις μίλησαν μετά το φαγητό.
4. Το βραδινό είχε και φρούτα.
5. Η Εύα κοιμήθηκε τελευταία.

Β. Απαντήστε στις ερωτήσεις.

1. Τι δουλειά κάνει ο Παντελής;
2. Το αεροπλάνο έφυγε το πρωί ή το βράδυ από τη Νέα Υόρκη;
3. Πώς θα είναι ο καιρός στην Αθήνα;
4. Τι πήρε να διαβάσει η Εύα;
5. Για ποιο πράγμα μίλησαν η Φράνσις και ο Τζον;

Ξενοδοχείο 'Τα Νησιά'

Α. Σημειώστε πού είναι το λάθος.

Το ταξίδι ήταν γενικά με αρκετά προβλήματα αλλά καθόλου βαρετό. Ένα καλό πρωινό, διάβασμα, μουσική, μια ταινία με τον Ρόμπερτ ντε Νίρο, λίγη μπίρα.

Στις 2:20 το μεσημέρι η αεροσυνοδός τούς πληροφόρησε ότι φτάνουν στο αεροδρόμιο της Αθήνας. Όταν μπήκαν στο αεροπλάνο ο καιρός πραγματικά ήταν κακός: λιακάδα, γαλανός ουρανός και κρύο. Σε λίγη ώρα ήταν σ' ένα λεωφορείο που τους πήγε στο λιμάνι του Πειραιά, για να πάρουν το Δελφίνι. Όταν έφτασαν στην Ντάπια, το λιμάνι των Σπετσών, η ώρα ήταν 6:10 το πρωί. Η κοπέλα του ξενοδοχείου 'Τα Νησιά' πήρε τις βαλίτσες τους και οι τέσσερις περπάτησαν ως εκεί γιατί ήταν αρκετά μακριά.

B. *Απαντήστε στις ερωτήσεις.*

1. Πώς πήγαν από τον Πειραιά στις Σπέτσες;
2. Τι καιρό έκανε όταν έφτασαν στο νησί;
3. Η Εύα είναι κουρασμένη ή μελαγχολική;
4. Τι έκανε ο Τζον όταν βγήκε από την πισίνα;
5. Τι θα κάνει το βράδυ η Εύα;

Ένας καφές στην Ντάπια σελ. 13

A. *Σωστό (Σ) ή λάθος (Λ);*

1. Η Εύα ξέρει τον Άλκη.
2. Ο Άλκης δεν παράγγειλε τίποτα.
3. Η Εύα γνώρισε τον Άλκη στο Σούνιο.
4. Η Εύα δεν έχει μεγάλο πρόβλημα με τη μητέρα της.
5. Ο Άλκης πλήρωσε τον λογαριασμό.

Β. Συμπληρώστε τον διάλογο.

«Και στο σπίτι; Με τους _____ σου όλα εντάξει;»
«Με τη μητέρα μου εντάξει, ούτε κρύο ούτε ζέστη.
Απλώς μου τη δίνει, γιατί είναι πιο _____ από τον
πατέρα μου και την κάνει ό,τι θέλει. Μ' εκείνον δεν τα
πάω καθόλου καλά. Αυτός τα ξέρει _____ και οι
άλλοι τίποτα. Ούτε μια καλή _____ για τις σπου-
δές μου, γι' αυτά που κάνω, τίποτα. Μόνο για τον γιο
του και τα _____ του μιλάει. Δε με _____ .»
«Δε νομίζω. Όλοι οι γονείς _____ τα παιδιά τους
αλλά με τον δικό τους τρόπο.»
«Δεν ξέρω. Εγώ όμως δεν _____ άλλο. Κάτι πρέπει
να κάνω ή κάτι πρέπει να κάνει αυτός για να μου δεί-
ξει ότι με _____ .»
«Σοβαρά δηλαδή τα πράγματα.»
«Για μένα, ναι. Έπειτα άρχισε από τώρα να μου λέει ότι
η _____ του Τζον Πάπας θα πρέπει να παντρευτεί
έναν _____ Ελληνοαμερικάνο και άλλα τέτοια.»

Στο Παλιό Λιμάνι σελ. 18

Α. Διαλέξτε το σωστό.

1. Η Εύα είπε στους γονείς της ότι πήγε μια βόλτα ___ .
   α. μόνη της   β. με έναν φίλο   γ. στο Παλιό Λιμάνι

2. Όταν η Εύα έφτασε στη Φιγκαρό, ____ .
   α. δεν είχε καθόλου κόσμο   β. ο Άλκης δεν ήταν εκεί
   γ. είχε αρκετό κόσμο

3. Στο κλαμπ συνάντησε ____ .
   α. τον Παντελή β. μια φίλη της γ. μόνο τον Άλκη

4. Η Εύα γνώρισε την Ηρώ ____ .
   α. στο Σούνιο β. στη Νέα Υόρκη γ. στις Σπέτσες

5. Οι δύο νέοι δεν πρόσεξαν ____ που ήταν συνέχεια
   πίσω τους.
   α. το αμάξι β. το ταξί γ. τη μηχανή

Β. Απαντήστε στις ερωτήσεις.

1. Τι ρώτησε ο Παντελής την Εύα;
2. Πού είπε ότι θα πάει η Εύα στη μητέρα της;
3. Τι ζήτησε να πιει η Εύα στη Φιγκαρό;
4. Πότε και πώς γνώρισε η Εύα την Ηρώ;
5. Πώς πήγαν ο Άλκης και η Εύα από το κλαμπ στο
   ξενοδοχείο;

Στην Αγία Παρασκευή   σελ. 22

Α. Σωστό (Σ) ή λάθος (Λ);

1. Η Εύα ήπιε μόνο έναν χυμό για πρωινό.
2. Ο Τζον πρότεινε στην κόρη του να κάνουν μπάνιο
   όλοι μαζί.
3. Ο Γιώργος Πετρέας είχε κρύα χέρια.

4. Ο Άλκης και η Εύα πρώτα κολύμπησαν και μετά ξάπλωσαν για λίγο στον ήλιο.

5. Στις εξίμισι ο Άλκης πήρε τηλέφωνο την Ηρώ.

Β. Σημειώστε πού είναι το λάθος.

Η Αγία Παρασκευή είναι μια μεγάλη παραλία στην δυτική πλευρά του νησιού με γύρω γύρω σπίτια. Ευτυχώς δεν είχε πολύ κόσμο. Κολύμπησαν μόνο πέντε λεπτά και μετά ξάπλωσαν στον ήλιο. Ο ήλιος όμως ήταν πολύ δυνατός. Έτσι, κάθισαν κάτω από ένα δέντρο, διάβασαν τα περιοδικά τους και μισή ώρα αργότερα πήγαν να πιούνε ένα ποτό στο μπαρ που βρίσκεται πάνω στην παραλία. Κατά τις τέσσερις αποφάσισαν να φάνε. Στο πάρκινγκ της Ντάπιας η Εύα κατέβηκε.

Γιώργος Πετρέας σελ. 26

Α. Απαντήστε στις ερωτήσεις.

1. Τι δουλειά κάνει η Ηρώ;

2. Τι αποφάσισε να κάνει η Ηρώ όταν άκουσε την Εύα;

3. Τι υπήρχε πάνω στο γραφείο του Γιώργου Πετρέα;

4. Τι σκέφτεται ο Πετρέας για τον Τζον; Και για τη Εύα;

Ένα τηλεφώνημα

Α. Συμπληρώστε τον διάλογο.

«Εμπρός;» απάντησε η Φράνσις.

«Η κυρία Πάπας;» ρώτησε μια ανδρική _____ .

«Η _____ . Ποιος είναι, παρακαλώ;»

«Δεν έχει σημασία. Άκου προσεκτικά αυτό που έχω να σου πω. Έχουμε την κόρη σας. Αν θέλετε να την ξαναδείτε, πρέπει να μας _____ δέκα εκατομμύρια ευρώ.»

«Πού είναι η Εύα; Μην της κάνετε _____ , σας παρακαλώ» κατάφερε τελικά να πει η Φράνσις.

«Είναι μια _____ . Πες το στον άντρα σου. Θα ξαναπάρουμε αργότερα. Και πρόσεξε. Αν πάρεις την αστυνομία, δε θα το _____ το κορίτσι σου» είπε η φωνή και έκλεισε.

Β. Διαλέξτε το σωστό.

1. Το κινητό της Φράνσις χτύπησε ___ .
   α. λίγο μετά τις δέκα β. λίγο πριν από τις δέκα
   γ. στις δέκα ακριβώς

2. Ο άντρας που πήρε ___ .
   α. δεν είπε ποιος είναι β. είπε ποιος είναι γ. είπε ότι είναι από την Αμερική

3. Μόλις τελείωσε το τηλεφώνημα, η Φράνσις πήγε ___.
   α. στο στούντιο της Εύας β. στο εστιατόριο
   γ. στη ρεσεψιόν

4. Στο σημείωμα η Εύα έγραψε ότι πάει για καφέ ___.
   α. με έναν φίλο β. με μια φίλη γ. μόνη της

5. Ο Τζον είπε στη γυναίκα του ότι θα κάνει ό,τι χρειάζε-
   ται για ___ .
   α. να βρει λεφτά β. να βρούνε τον Παντελή
   γ. να βρούνε την Εύα

Παντελής Μακρίδης   σελ. 30

Α. Απαντήστε στις ερωτήσεις.

1. Τι προβλήματα έχει ο Παντελής με τον Τζον Πάπας;

2. Ποιος πήρε τον Παντελή στο κινητό του;

3. Τι δε θέλει η Φράνσις να γίνει;

4. Σε ποιον είπε ο σωματοφύλακας ότι θα τηλεφωνήσει;

5. Τι είπε ο Τζον ότι θα κάνει;

Β. Βάλτε τα γράμματα που λείπουν.

«Δεν πάει άλλο» είπε ο Παντελής στον φίλ__ του τον
Αντώνη και άδειασε ένα ποτήρ__ κρασί. «Το μόνο που
σκέφτετ__ κάθε μέρα αυτός ο άνθρωπ__ είναι πώς να
κάνει πιο πολλά λεφτά. Κι όλ__ οι άλλοι γύρω του
πρέπ__ να δουλεύουν για να τον κάν__ πιο πλούσιο.
Εφτά χρόνια δουλεύ__ γι' αυτόν. Πρέπει να έχω τα
μάτια μου και τ' αυτιά μου ανοιχτ__ μέρα νύχτα. Και
τι κατάφερα; Δικ__ μου σπίτι δεν έχω, δεν παντρεύτη-
κα... Κάτι πρέπει να κάν__ . Δεν πάει άλλο, σου λέω.»

«Και τι μπορείς να κάν__ , ρε Μακρίδη; Μπορείς να βρεις άλλη δουλειά;» τον ρώτησ__ ο φίλος του.
«Έχω κάποιο σχέδιο. Θα σ__ πω άλλη ώρα» απάντησε ο Παντελής.

Δεύτερο τηλεφώνημα σελ. 32

Α. Σωστό (Σ) ή λάθος (Λ);

1. Ο Άλκης δεν μπορούσε να καταλάβει πού ήταν η Εύα.
2. Η φωνή είπε στον Τζον ότι ζητάνε πέντε εκατομμύρια.
3. Ο Τζον δε μίλησε καθόλου στην κόρη του.
4. Η φωνή είπε ότι θέλουν τα λεφτά σε δύο μέρες.
5. Ο Παντελής έμαθε κάποια πράγματα για τον Άλκη και την Εύα.

Β. Σημειώστε πού είναι το λάθος.

Η Φράνσις και ο Τζον ήταν στο μπάνιο της σουίτας τους και περίμεναν όταν χτύπησε το κινητό της Φράνσις. Το έδωσε αμέσως στον άντρα της, που ήταν δίπλα της.
«Ναι» είπε ο Τζον.
«Ο κύριος Πάπας;» ρώτησε μια γυναικεία φωνή.
«Ναι, εγώ είμαι.»
«Σου είπε ο γορίλας σου;»
«Μου είπε αλλά θέλω να τ' ακούσω κι εγώ.»
«Όχι 'θέλω' σε μάς. Κατάλαβες; Λοιπόν άκου γρήγορα

γιατί δε θα τα ξαναπώ. Αν θέλεις να δεις ξανά την κόρη σου, θα μας δώσεις σαράντα εκατομμύρια ευρώ.»

«Η κόρη μου είν' εκεί;» ρώτησε ο Τζον.

«Όχι, δεν είναι εδώ» απάντησε η φωνή.

«Θέλω να την δω.»

«Σου είπα τα 'θέλω' στους φίλους σου και στη γυναίκα σου. Όχι σε μας. Περίμενε...»

Στο σπίτι του Άλκη
σελ. 35

Α. Διαλέξτε το σωστό.

1. Η ώρα ήταν _____ όταν χτύπησε η πόρτα του Άλκη.
   α. δύο και δέκα β. λίγο μετά τη μία γ. μία παρά δέκα

2. Ο Παντελής ήθελε να μάθει ποιος πήρε τηλέφωνο ___ .
   α. τη Φράνσις και τον Τζον β. την Εύα γ. τον Άλκη

3. Ο Άλκης τους είπε ότι γνώρισε την Εύα _____ .
   α. στο Σούνιο β. στη Νέα Υόρκη γ. στο ξενοδοχείο

4. Ο Τζον κατάλαβε ότι ο Άλκης δεν ήταν _____ .
   α. κακός άνθρωπος β. φίλος της Εύας γ. μόνος στο σπίτι

5. Όταν έφυγαν από το σπίτι του Άλκη, πήγαν _____ .
   α. στα 'Νησιά' β. για ένα ποτό γ. στο Παλιό Λιμάνι

B. Συμπληρώστε τα κενά με τις σωστές λέξεις.

«Ο Άλκης, έτσι;» ρώτησε ο Παντελής και προχώρησε στο μικρό λίβινγκ ρουμ. Ο Τζον τον ακολούθησε κι _____ την πόρτα.

«Μα ποιοι είστε; Πώς _____ έτσι στο σπίτι μου;» ρώτησε ανήσυχος ο Άλκης

«Θέλουμε κάποιες απαντήσεις» απάντησε ο Παντελής. «Από πότε _____ την Εύα;»

«Την Εύα; Ξέρετε πού είναι;»

«Εσύ πρέπει να ξέρεις _____ από μάς» απάντησε ο σωματοφύλακας. «Ξέρουμε ότι τη βλέπεις εδώ στις Σπέτσες. Και ξέρουμε ότι προχτές το μεσημέρι πήγατε μαζί για _____ . Ποιος πήρε τηλέφωνο τη _____ της και μετά τον πατέρα της;»

«Κάποιο λάθος _____ , άνθρωπέ μου. Κι εσύ κι ο φίλος σου. Εγώ δεν πήρα κανέναν στο τηλέφωνο. Δεν ξέρω ούτε τον πατέρα της ούτε τη μητέρα της. Την Εύα την ξέρω από τη _____ , από το Πανεπιστήμιο. Ναι, βγήκαμε μαζί εδώ στις Σπέτσες. Αλλά εσάς τι σας _____ όλα αυτά;»

Ηρώ Πανούση

Α. Σωστό (Σ) ή λάθος (Λ);

1. Ο Άλκης είπε στην Ηρώ ότι ήρθανε στο σπίτι της για ένα ποτό.

2. Ο Τζον ρώτησε την Ηρώ αν πρόσεξε κάτι ύποπτο.

3. Ο Τζον είπε στην Ηρώ ότι η Εύα δεν αγαπάει τους γονείς της.

4. Η Εύα ήταν στο σπίτι της Ηρώς όταν ήρθαν οι τρεις άντρες.

5. Η Ηρώ είπε στην Εύα να τα πει όλα στον πατέρα της.

Β. Απαντήστε στις ερωτήσεις.

1. Τι πρόσεξε ο Άλκης όταν είδε την Ηρώ;

2. Τι είπε η Ηρώ στον Τζον ότι πιστεύει η Εύα γι' αυτόν;

3. Ποιος βγήκε από την κρεβατοκάμαρα όταν έφυγαν οι τρεις άντρες;

4. Ποιος ήταν ο ρόλος του Μίλτου;

5. Γιατί η Ηρώ είπε στην Εύα να μην πει τίποτε σε κανέναν;

Πλούσιοι υπάρχουν πολλοί   σελ. 43

Α. Σωστό (Σ) ή λάθος (Λ);

1. Ο άνθρωπος που πήρε τον Πετρέα στο κινητό του ήταν από το ξενοδοχείο.

2. Ο Πετρέας κατάλαβε ότι οι άλλοι τα κατάφεραν πιο καλά γιατί ζήτησαν λιγότερα λεφτά.

3. Ο Πετρέας έβαλε ένα CD με μια συμφωνία του Μότσαρτ.

ΔΡΑΣΤΗΡΙΟΤΗΤΑ 1

Μετά την ανάγνωση ενός κεφαλαίου ή ενός μέρους της ιστορίας, διαιρούμε την τάξη σε ομάδες. Κάθε ομάδα ετοιμάζει σ' ένα χαρτί ερωτήσεις κατανόησης σχετικά με το συγκεκριμένο κομμάτι που έχει διαβαστεί και τις δίνει στη διπλανή ομάδα για να τις απαντήσει.

Παράδειγμα: Αν έχουμε σχηματίσει τρεις ομάδες, την Α, τη Β και τη Γ, η Α ετοιμάζει τις ερωτήσεις για τη Β και η Β για τη Γ. Όταν τα χαρτιά επιστραφούν με τις απαντήσεις, κάθε ομάδα διορθώνει την άλλη.

ΔΡΑΣΤΗΡΙΟΤΗΤΑ 2

Διαιρούμε την τάξη σε ζεύγη. Καθένας από τους δύο σπουδαστές ετοιμάζει μια γραπτή περίληψη ενός κεφαλαίου ή ενός μέρους της ιστορίας και δίνει το χαρτί του στον άλλο για να το διορθώσει.

ΔΡΑΣΤΗΡΙΟΤΗΤΑ 3

Ένας σπουδαστής μιλάει για έναν από τους χαρακτήρες της ιστορίας. Οι υπόλοιποι πρέπει να μαντέψουν για ποιον πρόκειται.

ΔΡΑΣΤΗΡΙΟΤΗΤΑ 4

Διαιρούμε την τάξη σε δύο ομάδες. Η πρώτη από τις δύο ομάδες σημειώνει τρεις λέξεις σ' ένα χαρτί και το δίνει στην άλλη. Η αντίπαλη ομάδα πρέπει να ετοιμάσει ένα

σύντομο διάλογο χρησιμοποιώντας τουλάχιστον δύο από
τις προτεινόμενες λέξεις. Η πρώτη ομάδα διαβάζει δυνα-
τά τον διάλογο. Η δραστηριότητα επαναλαμβάνεται με τη
δεύτερη ομάδα να προτείνει τρεις λέξεις στην πρώτη.

ΔΡΑΣΤΗΡΙΟΤΗΤΑ 5

Διαιρούμε την τάξη σε ζεύγη ή σε ομάδες, ανάλογα με τον
αριθμό των χαρακτήρων που εμφανίζονται σ' έναν διάλο-
γο της ιστορίας. Οι σπουδαστές παίζουν τον διάλογο, προ-
σπαθώντας να επαναλάβουν όσο πιο πιστά γίνεται τις «ατά-
κες» του διαλόγου.

Παραλλαγή Α
Ο καθηγητής δίνει σε κάθε ομάδα ένα χαρτί με έναν διά-
λογο από την ιστορία από τον οποίο λείπουν κάποιες ατά-
κες. Οι σπουδαστές πρέπει να συμπληρώσουν τον διάλο-
γο και μετά να τον παίξουν.

Παραλλαγή Β
Οι σπουδαστές παίζουν ελεύθερα έναν διάλογο από την
ιστορία.

ΔΡΑΣΤΗΡΙΟΤΗΤΑ 6

Οι σπουδαστές ετοιμάζουν μια γραπτή περιγραφή για την
εξωτερική εμφάνιση ή/και την ψυχολογία ενός ή περισ-
σότερων χαρακτήρων της ιστορίας.

VOCABULARY

άγνωστος stranger
αδειάζω to empty
αεροσυνοδός, η air hostess
ακολουθώ to follow
αμάξι, το horse carriage
ανήσυχος uneasy, worried
απαγωγή, η kidnapping
απογείωση, η take-off
αράζω to moor, to anchor
βαλίτσα, η suitcase
βαν, το van
βουτιά, η dive; dip, swim
γιοτ, το yacht, pleasure boat
γραφικός picturesque
δάκρυ, το tear
δε λέγεται cannot be described
Δελφίνι, το hydrofoil, a kind of a fast boat
δίνω οδηγίες to give instructions
εξετάσεις, οι exams
έπιπλα, τα furniture
επιχειρηματίας, ο businessman
εφοπλιστής, ο ship owner, ship operator

έχω ανάγκη to need
καθιστικό, το sitting room
καΐκι, το caique, small boat that does short journeys
κάνω πλάκα to make a joke, to joke
καρδιά, η heart
κάτασπρη very pale
καταφέρνω to manage
κατοικία, η residence
κερνάω to buy someone a drink
κινητό, το mobile phone
κλειδώνω to lock
κουβέντα, η chat // word
κουδούνι, το bell
κράνος, το helmet
μαγιό, το swimming costume
μήνυμα, το message
μηχανή, η motorcycle
μου τη δίνει it irritates me, it makes me mad
μουρμουρίζω to mumble
Μπουμπουλίνα, η heroine of the Greek revolution against the Ottoman rule

ναυτιλιακή εταιρεία, η
shipping company
νυχτερινή night (adj.)
ξαπλώνω to lie in bed
οθόνη, η screen
ουζερί, το shop where
ouzo and savouries are
served
παραγγέλνω to order
παραδοσιακό traditional
πέδιλα, τα sandals,
summer casual wear
πεινάω σα λύκος to be
very hungry
πεύκο, το pine tree
πληροφορώ to inform
πολύτιμο valuable
προλαβαίνω to have
enough time

προπολεμικό pre-war
προσέχω to notice
σβήνω to turn off
σκάφος, το vessel, boat
συγγενείς, οι relatives
σχέδιο, το plan
σωματοφύλακας, ο
bodyguard
ταραγμένη nervous,
upset
τρέχω to run
ύποπτο suspicious
φιλώ (-άω) to kiss
φοβερός terrific
χαιρετώ (-άω) to greet
ψάχνω to look for

άγνωστος inconnu

αδειάζω vider

αεροσυνοδός, η hôtesse de l'air

ακολουθώ suivre

αμάξι, το le carrosse, la voiture à chevaux

ανήσυχος inquiet

απαγωγή, η enlèvement, kidnapping

απογείωση, η décollage

αράζω jeter l'ancre

βαλίτσα, η valise

βαν, το van, fourgonnette

γιοτ, το yacht

γραφικός pittoresque

δάκρυ, το larme

δε λέγεται c'est inimaginable

Δελφίνι, το hydroglisseur

δίνω οδηγίες donner des instructions

εξετάσεις, οι examens

έπιπλα, τα meubles

επιχειρηματίας, ο homme d'affaires

εφοπλιστής, ο armateur

έχω ανάγκη avoir besoin

καθιστικό, το pièce de séjour, petit salon

καΐκι, το caïque, bateau léger

καλή διαμονή! ayez un séjour agréable!

κάνω μια βουτιά plonger

κάποιος κάνει πλάκα ça doit être un farceur

καρδιά, η cœur

κάτασπρη toute blanche

καταφέρνω réussir

κατοικία, η logement

κερνάω offrir à boire

κινητό, το téléphone mobile

κλειδώνω fermer à clé

κουβέντα, η causette // mot

κουδούνι, το sonnette

κράνος, το casque

μαγιό, το maillot (de bains)

μήνυμα, το message

μηχανή, η moto

μου τη δίνει ça m'énerve, ça m'agace

μουρμουρίζω murmurer

Μπουμπουλίνα, η une des heroines de la Révolution Grecque de 1821

ναυτιλιακή εταιρεία, η compagnie maritime

νυχτερινός nocturne

ξαπλώνω se coucher, s' allonger

οθόνη, η écran

ουζερί, το petite taverne où l' on boit du ouzo en dégustant des amuse-gueule

παντρεύομαι se marier

παραγγέλνω commander

παραδοσιακός traditionnel

πέδιλα, τα sandalettes

πεινάω σα λύκος avoir une faim de loup

πεύκο, το pin

πληροφορώ informer

πολύτιμος précieux

προλαβαίνω il est encore temps

προπολεμικό d' avant-guerre

προσέχω remarquer

σβήνω éteindre

σκάφος, το bateau de plaisance

συγγενείς, οι proches

σχέδιο, το plan

σωματοφύλακας, ο garde du corps

ταραγμένος agité

τρέχω courir

κάτι ύποπτο quelque chose de louche

φιλώ (-άω) embrasser

φοβερός terrible, formidable

χαιρετώ (-άω) saluer

ψάχνω chercher

VOCABULAR

άγνωστος der Unbekannte

αδειάζω leeren

αεροσυνοδός, η die Stewardess

ακολουθώ folgen

αμάξι, το der Pferdewagen

ανήσυχος besorgt, beunruhigt

απαγωγή, η die Entführung

απογείωση, η das Starten (Flugzeug), Take-off

αράζω verankern

βαλίτσα, η der Reisekoffer

βαν, το der Gepäckwagen

βουτιά, η der Kopfsprung

γιοτ, το die Jacht

γραφικός pittoresk

δάκρυ, το die Träne

δε λέγεται unbeschreiblich

Δελφίνι, το «Flying Dolphin», schnellverkehrsboot

δίνω οδηγίες Einweisungen geben

εξετάσεις, οι die Examen

έπιπλα, τα das Mobiliar

επιχειρηματίας, ο der Unternehmer

εφοπλιστής, ο der Reeder

έχω ανάγκη ich brauche

καθιστικό, το das Wohnzimmer

καΐκι, το Fischerboot, das auch für kurze Reisen fahrten geeignet ist

κάνω πλάκα einen Spaß machen, spaß machen

καρδιά, η das Herz

κάτασπρη sehr blass

καταφέρνω fertig bringen

κατοικία, η die Wohnung

κερνάω jm ein Getränk bestellen

κινητό, το mobiles Telefon

κλειδώνω abschließen

κουβέντα, η das Gespräch // das Wort

κουδούνι, το die Klingel

κράνος, το der Helm

μαγιό, το der Badeanzug

μήνυμα, το telefonische Nachricht

μηχανή, η die Maschine (Motorrad)

μου τη δίνει es geht mir auf die Nerven

μουρμουρίζω murmeln

Μπουμπουλίνα, η eine Heldin der griechischen Revolution gegen das Osmanische Reich

ναυτιλιακή εταιρεία, η die Reedergesellschaft

νυχτερινή nächtlich, Nacht-

ξαπλώνω im Bett liegen

οθόνη, η der Bildschirm

ουζερί, το Local, wo Ouzo und pikante Vorspeisen serviert werden

παραγγέλνω bestellen

παραδοσιακό traditionell

πέδιλα, τα die Sandalen

πεινάω σα λύκος sehr hungrig sein

πεύκο, το die Pinie

πληροφορώ informieren

πολύτιμο kostbar

προλαβαίνω genug Zeit haben

προπολεμικό Vorkriegs-

προσέχω bemerken

σβήνω abschalten

σκάφος, το das Boot

συγγενείς, οι die Verwandten

σχέδιο, το der Plan

σωματοφύλακας, ο die Leibgarde, die Leibwache

ταραγμένη nervös, aufgeregt

τρέχω laufen

ύποπτο verdächtig

φιλώ (-άω) küssen

φοβερός schrecklich

χαιρετώ (-άω) grüßen

ψάχνω suchen

Η οικογένεια Πάπας σελ. 44

Α. 1. Λ   2. Σ   3. Λ   4. Λ   5. Σ

Β. 1. β   2. γ   3. α   4. α   5. γ

Στο αεροπλάνο σελ. 45

Α. 1. Λ   2. Σ   3. Σ   4. Λ   5. Σ

Β. (Πιθανές απαντήσεις)

1. Είναι σωματοφύλακας του Τζον Πάπας.

2. Έφυγε το βράδυ.

3. Θα είναι καλός.

4. Πήρε να διαβάσει ένα αστυνομικό μυθιστόρημα.

5. Μίλησαν για τις διακοπές τους.

Ξενοδοχείο 'Τα Νησιά' σελ. 45

Α. Το ταξίδι ήταν γενικά <u>με αρκετά προβλήματα</u> αλλά <u>καθόλου</u> βαρετό. Ένα καλό <u>πρωινό</u>, διάβασμα, μουσική, μια ταινία με τον Ρόμπερτ ντε Νίρο, <u>λίγη μπίρα</u>. Στις 2.20 το μεσημέρι <u>η αεροσυνοδός</u> τούς πληροφόρησε ότι φτάνουν στο αεροδρόμιο της Αθήνας. Όταν μπήκαν στο αεροπλάνο, ο καιρός πραγματικά ήταν <u>κακός</u>: λιακάδα, γαλανός ουρανός και κρύο. Σε λίγη ώρα ήταν σ' ένα <u>λεωφορείο</u> που τους πήγε στο λιμάνι του Πειραιά, για να πάρουν το Δελφίνι. Όταν έφτασαν στην Ντάπια, το λιμάνι των Σπετσών, η ώρα ήταν 6:10

<u>το πρωί</u>. <u>Η κοπέλα</u> του ξενοδοχείου 'Τα Νησιά' πήρε τις βαλίτσες τους και οι τέσσερις περπάτησαν ως εκεί γιατί ήταν αρκετά <u>μακριά</u>.

Β. (Πιθανές απαντήσεις)

1. Με ταξί.

2. Έκανε ζέστη.

3. Η Εύα είναι μελαγχολική.

4. Κάθισε σ' ένα τραπέζι δίπλα στο μπαρ.

5. Θα βγει.

Ένας καφές στην Ντάπια σελ. 46

Α. 1. Σ   2. Λ   3. Λ   4. Σ   5. Σ

Β. γονείς / αδύνατη / όλα / κουβέντα / λεφτά / αγαπάει / αγαπάνε / μπορώ / σκέφτεται / κόρη / πλούσιο

Στο Παλιό Λιμάνι σελ. 47

Α. 1. α   2. γ   3. β   4. α   5. γ

Β. (Πιθανές απαντήσεις)

1. Τη ρώτησε πώς πήγε η βόλτα.

2. Της είπε ότι θα πάει κάπου να φάει και μετά θα πάει σε κανένα μπαράκι.

3. Μια μπίρα.

4. Τη γνώρισε στο Σούνιο πριν από δύο χρόνια.

5. Με τη μηχανή από τα πίσω δρομάκια.

Στην Αγία Παρασκευή σελ. 48

A. 1. Λ   2. Λ   3. Σ   4. Σ   5. Λ

B. Η Αγία Παρασκευή είναι μια <u>μεγάλη</u> παραλία στην <u>δυτική</u> πλευρά του νησιού με γύρω γύρω <u>σπίτια</u>. Ευτυχώς δεν είχε πολύ κόσμο. Κολύμπησαν <u>μόνο</u> <u>πέντε λεπτά</u> και μετά ξάπλωσαν στον ήλιο. Ο ήλιος όμως ήταν πολύ δυνατός. Έτσι, κάθισαν κάτω από ένα δέντρο, διάβασαν τα <u>περιοδικά</u> τους και μισή ώρα αργότερα πήγαν να <u>πιούνε ένα ποτό στο μπαρ</u> που βρίσκεται πάνω στην παραλία. Κατά τις τέσσερις αποφάσισαν να <u>φάνε</u>. Στο πάρκινγκ της Ντάπιας η Εύα κατέβηκε.

Γιώργος Πετρέας σελ. 49

A. (Πιθανές απαντήσεις)

1. Δουλεύει σ' ένα βιβλιοπωλείο.

2. Αποφάσισε να τη βοηθήσει.

3. Ένα κομπιούτερ, ένα ποτήρι ουίσκι και μερικές κάρτες.

4. Για τον Τζον σκέφτεται ότι θα του λύσει τα οικονομικά του προβλήματα. Για την Εύα σκέφτεται ότι είναι το κλειδί.

Ένα τηλεφώνημα σελ. 50

Α. φωνή / ίδια / δώσετε / κακό / χαρά / ξαναδείς

Β. 1. α   2. α   3. α   4. β   5. γ

Παντελής Μακρίδης σελ. 51

Α. (Πιθανές απαντήσεις)

1. (Ελεύθερη απάντηση).

2. Ο Τζον Πάπας.

3. Να μάθει τίποτε η αστυνομία.

4. Σε κάτι φίλους του Σπετσιώτες.

5. Είπε ότι θα πάρει την τράπεζά του στη Νέα Υόρκη.

Β. «Δεν πάει άλλο» είπε ο Παντελής στον φίλο του τον Αντώνη και άδειασε ένα ποτήρι κρασί. «Το μόνο που σκέφτεται κάθε μέρα αυτός ο άνθρωπος είναι πώς να κάνει πιο πολλά λεφτά. Κι όλοι οι άλλοι γύρω του πρέπει να δουλεύουν για να τον κάνουν πιο πλούσιο. Εφτά χρόνια δουλεύω γι' αυτόν. Πρέπει να έχω τα μάτια μου και τ' αυτιά μου ανοιχτά μέρα νύχτα. Και τι κατάφερα; Δικό μου σπίτι δεν έχω, δεν παντρεύτηκα... Κάτι πρέπει να κάνω. Δεν πάει άλλο, σου λέω.»

«Και τι μπορείς να κάνεις, ρε Μακρίδη; Μπορείς να βρεις άλλη δουλειά;» τον ρώτησε ο φίλος του.

«Έχω κάποιο σχέδιο. Θα σου πω άλλη ώρα» απάντησε ο Παντελής.

Δεύτερο τηλεφώνημα σελ. 52

Α. 1. Σ   2. Λ   3. Λ   4. Λ   5. Σ

Β. Η Φράνσις και ο Τζον ήταν στο <u>μπάνιο</u> της σουίτας τους και περίμεναν όταν χτύπησε το κινητό της Φράνσις. Το έδωσε αμέσως στον άντρα της που ήταν δίπλα της.

«Ναι» είπε ο Τζον.

«Ο κύριος Πάπας;» ρώτησε μια <u>γυναικεία</u> φωνή.

«Ναι, εγώ είμαι.»

«Σου είπε <u>ο γορίλας</u> σου;»

«Μου είπε αλλά θέλω να τ' ακούσω κι εγώ.»

«Όχι 'θέλω' σε μάς. Κατάλαβες; Λοιπόν άκου <u>γρήγορα</u> γιατί δε θα τα ξαναπώ. Αν θέλεις να δεις ξανά την κόρη σου, θα μας δώσεις <u>σαράντα</u> εκατομμύρια ευρώ.»

«Η κόρη μου είν' εκεί;» ρώτησε ο Τζον.

«<u>Όχι, δεν είναι εδώ</u>» απάντησε η φωνή.

«Θέλω να <u>την δω</u>.»

«Σου είπα τα 'θέλω' στους φίλους σου και στη γυναίκα σου. Όχι σε μάς. Περίμενε...»

Στο σπίτι του Άλκη σελ. 53

Α. 1. β   2. α   3. β   4. α   5. γ

Β. έκλεισε / μπαίνετε / γνωρίζεις / καλύτερα / μπάνιο / μητέρα / κάνεις / Νέα Υόρκη / ενδιαφέρουν

Ηρώ Πανούση σελ. 54

Α. 1. Λ   2. Σ   3. Λ   4. Σ   5. Λ

Β. (Πιθανές απαντήσεις)

1. Ότι ήταν ταραγμένη.

2. Του είπε ότι πιστεύει πως δεν ενδιαφέρεται καθόλου γι' αυτήν.

3. Η Εύα.

4. Πήρε τηλέφωνο τη Φράνσις και τον Τζον και τους ζήτησε λεφτά για την Εύα.

5. Γιατί ήταν επικίνδυνο για όλους.

Πλούσιοι υπάρχουν πολλοί σελ. 55

Α. 1. Σ   2. Λ   3. Λ